Brad
DU RIFIFI CHEZ LES POMERLEAU

Catalogage avant publication de Bibliothèque et Archives nationales du Québec et Bibliothèque et Archives Canada

Mercier, Johanne

Du rififi chez les Pomerleau

(Brad; 6)
Pour les jeunes de 9 ans et plus.

ISBN 978-2-89591-117-3

I. Daigle, Christian, 1968- . II. Titre. III. Collection: Mercier, Johanne. Brad; 6.

PS8576.E687D8 2011 jC843'.54 C2010-942573-1
PS9576.E687D8 2011

Dépôts légaux: 1er trimestre 2011
Bibliothèque nationale du Québec
Bibliothèque nationale du Canada
ISBN 978-2-89591-117-3

4339, rue des Bécassines
Québec (Québec) G1G 1V5
CANADA
Téléphone: 418 628-4029
Sans frais depuis l'Amérique du Nord: 1 877 628-4029
Télécopie: 418 628-4801
info@foulire.com

Les éditions FouLire reconnaissent l'aide financière du gouvernement du Canada par l'entremise du Programme d'aide au développement de l'industrie de l'édition (PADIÉ) pour leurs activités d'édition.

Elles remercient la Société de développement des entreprises culturelles du Québec (SODEC) pour son aide à l'édition et à la promotion.

Elles remercient également le Conseil des Arts du Canada de l'aide accordée à son programme de publication.

Gouvernement du Québec – Programme de crédit d'impôt pour l'édition de livres – gestion SODEC.

IMPRIMÉ AU CANADA/PRINTED IN CANADA

DU RIFIFI CHEZ LES POMERLEAU

JOHANNE MERCIER

Illustrations
Christian Daigle

Roman

Albert Pomerleau rêvait de cette expédition depuis des années. Il s'y prépare maintenant depuis des mois, en parle sans arrêt depuis lundi. Comme l'ont fait jadis son grand-père Louis-Joseph Pomerleau et plus tard son père, Wilfrid Pomerleau, Albert escaladera le légendaire mont Albinos. Une altitude de 1 623 mètres. Rien de moins. Il partira demain, qu'on se le dise. Le périple de sa vie. Enfin, c'est ce qu'il se plaît à répéter...

Cet après-midi, la maison des Pomerleau a des allures d'entrepôt d'articles de plein air. À travers le fouillis, Huguette cuisine des muffins noix et canneberges en écoutant son mari vanter, pour la cent millionième fois, les mérites de son fameux matériel d'expédition…

– Regarde la belle boussole de mon grand-père, Huguette.

– Très jolie, fait-elle, sans même lever les yeux.

– Ma carte topo, mes lunettes, ma torche frontale, un petit réchaud. C'est une bonne idée d'apporter le petit réchaud, non ?

– Très bonne idée.

– Ma gourde, mon sac de couchage d'hiver, un matelas, un fanal, un appareil photo, du propane, mes bottes de marche, de la nourriture déshydratée, mes nouvelles cordes. As-tu vu mes nouvelles cordes ?

– Oui, chéri, tu me les as montrées hier…

– Mes jumelles ?

– Aussi.

– Mon chasse-moustiques ?

– Magnifique, ton chasse-moustiques, Albert.

– J'ai même installé des barres Thule pour tenir mes bagages sur le toit de la voiture.

– Tu vas vraiment grimper avec tout ça sur le dos ?

– Chose certaine, nous ne manquerons de rien, ma belle…

Cette fois, Huguette abandonne ses muffins. Elle n'aime pas du tout ce qu'elle vient d'entendre…

– Pourquoi dis-tu que NOUS ne manquerons de rien, Albert ? Tu sais très bien que je ne pars pas avec toi.

– Je sais, je sais…

Précisons ici que personne n'a accepté d'accompagner Albert Pomerleau dans cette aventure. Ce n'est pas faute d'avoir essayé, croyez-moi. Albert a parcouru son bottin téléphonique de A à Z, il a demandé à tous ses vieux amis, même à son cousin Ronald. Il a insisté auprès de son beau-frère Georges, aussi. Mais personne ne semblait chaud à l'idée de frissonner au sommet d'une montagne. Tous ont trouvé (ou inventé, allez savoir) une excellente raison de décliner sa gentille invitation. Albert se voyait donc contraint de partir en solitaire.

Jusqu'à cet après-midi, en fait.

– J'ai finalement déniché mon compagnon de route, annonce prudemment Albert.

Huguette le regarde, étonnée. Presque inquiète…

– Guillaume a accepté de t'accompagner ?

– Non.

– Ne me dis pas que Jules...

– Non plus.

– L'agent Duclos ?

– Nah !

– Morissette ?

– Meuh non, voyons.

– Ton patron ?

– Jamais de la vie !

– Qui ?

Petites secondes d'hésitation, tout de même. Albert craindrait-il la réaction de sa douce ? Peut-être un peu. Mais puisqu'il n'a pas le choix, aussi bien dire la vérité, toute la vérité, rien que la vérité.

– Je pars avec Brad.

– Très drôle.

Huguette n'en croit pas un mot. Et si vous connaissez le génie Bradoulboudour un tant soit peu, vous n'y croyez sûrement pas non plus. Imaginez-le, loin de la télé, de la machine à *pop-corn* et du sofa, dormant à la belle étoile, affrontant mille dangers et un million de bestioles. Brad n'aurait jamais le courage, la témérité, la force, la détermination, le désir de relever un tel défi. Jamais ce pantouflard n'y verrait la moindre parcelle d'intérêt de toute manière. Et entre nous, jamais Albert Pomerleau n'aurait la patience de l'endurer plus de 15 minutes. Bradoulboudour, on le sait, a le don de faire tourner Albert en bourrique...

– Sans blague, avec qui pars-tu, chéri ?

– Je te l'ai dit, Huguette, avec Brad.

– Tu parles bien de notre génie de potiche allergique au plein air ? Celui qui, à part quelques parties de billard, n'a fait aucun exercice depuis 450 ans? Celui qui a gâché nos dernières vacances en camping? Celui qui est terrifié à l'idée de croiser une mouche noire?

– Tout le monde peut changer, Huguette.

– Désolée, mon chéri, mais Brad ne changera jamais. Il est comme il est. Et ce n'est pas une expédition au mont Albinos qui le transformera, crois-moi.

Huguette toise son mari un moment… Pourquoi ajouterait-il une difficulté supplémentaire à son périple? Pourquoi partir avec Brad?

À moins que…

– Albert Pomerleau, regarde-moi dans les yeux! lance-t-elle, un brin de panique dans la voix.

– Oui?

– Jure-moi sur la tête de ton grand-père Louis-Joseph que tu n'as pas l'intention de lui faire le coup du petit Poucet!

– Quoi? Tu me soupçonnes, moi, ton mari, le père de tes enfants, l'homme de ta vie, de vouloir égarer notre génie en forêt?

– Je n'aime pas du tout la lueur qui vient d'apparaître dans ton regard, Albert!

– Je prendrai grand soin de Brad, ma belle. Tu sais très bien que je tiens à lui autant qu'au troisième vœu…

Petit regard sceptique de la part d'Huguette.

– C'est même lui qui a insisté pour m'accompagner…

Regard tout à fait incrédule, maintenant.

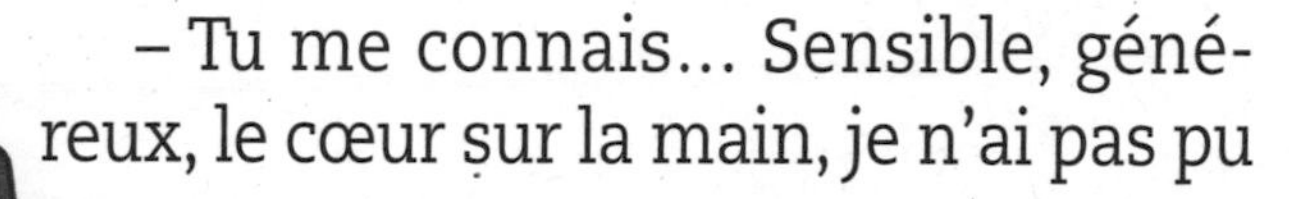

– Tu me connais… Sensible, généreux, le cœur sur la main, je n'ai pas pu

lui dire non. Je suis trop bon, moi. C'est mon pire défaut.

– Je veux la vérité, Albert.

Sachant fort bien qu'il ne pourra pas se défiler longtemps, Albert finit par avouer :

– Bon, d'accord, c'est mon idée. Mais admets que ce sera plus sécuritaire pour moi de partir avec un génie.

– Plus sécuritaire d'escalader une montagne en ayant Brad dans les pattes ? Pas sûre…

– En cas de pépin, je pourrai toujours faire appel au troisième vœu. On ne sait jamais. Si un ours veut me dévorer tout cru, par exemple…

– Et si l'ours préfère dévorer Brad ?

Silence.

Elle marque un point.

– Je tiens à relever le défi comme l'ont fait mon grand-père et mon père, Huguette. Mais j'ai besoin d'un sherpa.

– Bradoulboudour en sherpa ! J'aurai tout entendu ! Il se perd encore en revenant du dépanneur, ton sherpa !

– Il peut très bien porter mes bagages, en tout cas.

– Tu emmènes Brad pour qu'il fasse la mule ?

– La mule, la mule... tout de suite les grands mots. Si monsieur peut se rendre utile une fois dans sa vie, ce sera déjà quelque chose.

– Un génie, un sherpa, une mule ! Tu en demandes beaucoup à quelqu'un qui est incapable de quitter son sofa...

Albert ne bronche pas.

– Et qu'est-ce que tu lui as promis pour qu'il accepte de te suivre ?

– Rien du tout.

– Albeeeert…

– Juste une petite …élé …sma dans …a …ambr.

– J'ai pas bien entendu, là. Une petite quoi ?

– Une petite télé plasma dans sa chambre.

– Ah misère ! C'est pas vrai !

Huguette décide de prendre la situation en main. Cette expédition risque de tourner à la catastrophe si elle ne s'en mêle pas. Il n'est pas question de les laisser partir ensemble, ces deux-là. Elle enfourne ses muffins en vitesse et file retrouver notre futur grand aventurier des montagnes, affalé devant la télé, comme tous les après-midi à pareille heure. Brad est complètement accro à la série américaine *Du rififi chez les Tunnerbaum*. Un feuilleton mal écrit, aussi mal joué que mal traduit.

– Brad, je dois vous parler ! lance Huguette sans égard pour le navet qu'il regarde.

Aucune réaction du génie.

– Brad, c'est très important !

Sans daigner quitter le petit écran des yeux, Bradoulboudour s'informe tout de même :

– C'est pour le troisième vœu ?

– Non, mais je…

– Alors, attendez à la pause, Huguette. Bobby vient d'avouer à Sherley qu'il est amoureux de Carlita. Elle va sûrement demander le divorce…

– Je me fous de votre Sherley, Brad !

– Vous croyez qu'elle aura la garde du petit John-John ?

– Je me fous du petit John-John aussi !

Bradoulboudour lui jette un regard déconcerté.

– Auriez-vous une pierre à la place du cœur, Huguette ? Le petit John-John n'a que deux ans !

Huguette profite de ce moment de diversion.

– Avez-vous vraiment l'intention d'escalader le mont Albinos avec Albert, Brad ?

– Je pars faire une petite balade avec lui demain, en effet.

– Une petite balade... souffle Huguette. C'est une expédition qui va durer au moins cinq jours !

– Tut, tut, tut...

– Avez-vous déjà escaladé une montagne ?

Le génie n'a même pas entendu la question. Huguette hausse le ton.

– Brad, je vous demande si vous avez déjà escaladé une montagne !

– Si, une fois, avec le grand vizir Jamil, il y a 200 ans. Une toute petite montagne, mais tout de même...

– Je ne pense pas que ce soit une bonne idée d'accompagner Albert. Vous n'êtes pas assez en forme pour faire la mule.

– Tenez ! Huguette : c'est Sherley ! Elle est jolie, non ?

– Brad...

– Détendez-vous, ma chère. Regardez plutôt le feuilleton avec moi...

– Brad, je vous en supplie...

– *Pop-corn* ?

Il a gagné.

Huguette s'assoit sur le bout du sofa. Elle se laisse distraire un moment par le drame de la trop blonde Sherley

qui, désespérée, vient de mettre le feu au domaine des Tunnerbaum.

Brad essuie une larme.

Pathétique.

– On sent l'odeur de brûlé jusqu'ici... murmure le génie avec émotion.

– Juste ciel, MES MUFFINS ! hurle Huguette en se levant d'un bond.

Ce qui met fin à leur petite discussion.

Le jour se lève à peine, mais le clan Pomerleau est déjà debout. Personne n'aurait voulu rater le grand départ d'Albert et de Bradoulboudour ce matin. Huguette a pourtant encore tenté de dissuader le génie au petit-déjeuner. Elle lui a parlé de la nécessité d'être bien préparé physiquement. Des difficultés qu'il risque de rencontrer. Elle a même glissé quelques couleuvres dans la conversation, mais c'était peine perdue.

– Je veux relever le défi ! a déclaré Brad avec sérieux.

– Vous voulez une télé plasma, oui.

Rien à faire, donc. Ils partent dans quelques minutes.

Lisant toute l'anxiété dans le regard d'Huguette, Albert pose affectueusement sa main sur l'épaule de Bradoulboudour, en affirmant haut et fort:

– Ce sera une expédition mémorable, n'est-ce pas, Brad?

– Les grands défis consolident l'amitié, renchérit le génie.

– Vous êtes un sage!

– Allons, allons…

– Mais si…

– Après vous…

– Je vous en prie.

Insupportable.

Ils placent maintenant les nombreux bagages sur le toit de la voiture et dans le coffre arrière en rigolant comme deux vieux complices. Ils se perdent en politesse et en galanterie…

– Brad, vous avez un tel don pour ranger les bagages dans un coffre de voiture !

– Habiter une potiche vous apprend à utiliser tous les petits espaces, mon ami.

– Impressionnant !

– Oh ! Attention, Albert ! Vous avez failli vous assommer sur les barres à bagages qui dépassent du toit.

– Prenez garde aussi, Brad. Je les ai peut-être mal installées.

– Bah... personne n'est parfait, Albert. Je n'aurais pas fait mieux.

– Mais si...

– Meuh non.

Huguette, Jules et Guillaume soupirent en chœur.

– Ça ne durera pas deux heures, leur petite complicité... laisse tomber Huguette.

– Imagine Brad en montagne, *mom*…

– Imagine ton père avec Brad, en montagne !

– C'est dangereux pour un génie de faire de l'escalade ? demande Jules.

– Pour un génie qui passe ses grandes journées affalé devant la télé, ce n'est pas l'idéal.

Mais peu importe le discours alarmiste qui se trame dans leur dos, nos deux voyageurs sont maintenant prêts. Un dernier coup d'œil dans la maison, question de vérifier s'ils n'ont rien oublié. Non. Tout est beau! Un bécot, une accolade, un autre bécot. On leur répète d'être prudents, de ne pas faire de folies, de revenir en forme et, si jamais la chose est possible… en un seul morceau.

Brad se dirige vers la voiture d'un pas rapide et déterminé. Huguette entraîne son mari à l'écart et lui prodigue ses derniers conseils.

– Tu me promets de l'avoir toujours à l'œil, Albert? Ne le quitte jamais des yeux, tu m'entends?

– Mère poule!

– J'ai un très mauvais pressentiment...

– Mais arrête de t'inquiéter pour Brad, Huguette. C'est un génie!

Albert a raison, mais…

– Et il est où, ton génie, en ce moment, chéri?

Albert regarde en direction de la voiture. Personne.

Il jette un œil autour. Brad était pourtant là, il y a quelques minutes à peine!

– Brad?

Pas de réponse.

– Guillaume, est-ce que Brad est rentré dans la maison?

– Pas vu.

– Voyons, c'est ridicule, il ne peut pas être disparu ! Braaad ? crie maintenant Albert.

– Il a peut-être pris la poudre d'escampette ? avance Huguette. Il a enfin compris ce qu'il risquait…

– Ce n'est pas le moment de jouer à cache-cache, Brad ! Nous partons, mon ami !

Toujours pas de réponse.

– Il est iciii ! lance soudain Jules, visiblement bouleversé. On dirait qu'il est tombé dans les pommes !

« Et ils ne sont même pas encore partis… » soupire Huguette.

Ils accourent et trouvent le génie étendu de tout son long à côté de la voiture. Il semble effectivement dans un piteux état.

– Brad, m'entendez-vous ? demande Albert.

Aucune réaction du génie.

– Il respire encore ? s'inquiète Jules.

Il respire, mais il ne réagit pas. Pas le moindre sourcillement. Pas de mouvement de paupières. Rien. Pendant que les Pomerleau réfléchissent aux différentes techniques de réanimation possibles et établissent un plan d'urgence qui n'aboutit à rien, Brad finit par rouvrir les yeux.

Il les regarde tour à tour, sans parler, sans aucune expression. Huguette s'accroupit à ses côtés.

– Que vous est-il arrivé ?

– Maaa… têêêêête ! gémit le génie.

– Vous vous êtes frappé ? Mais où ?

– Aïe !

Albert comprend que Brad s'est assommé sur les fameuses barres de bagages mal installées, mais n'en dit rien à personne pour le moment. Huguette s'approche et examine la blessure…

– Oh là là ! fait-elle en séparant quelques mèches de cheveux. C'est… c'est quelque chose…

– Il saigne ? demande Jules.

– Non, mais…

– Il est fendu ? s'informe Albert.

– Non, mais…

Le génie observe Huguette qui regarde Albert qui fixe l'énorme bosse sur la tête de Brad. Et plus la bosse grossit et plus l'espoir de partir pour le mont Albinos diminue.

Évidemment.

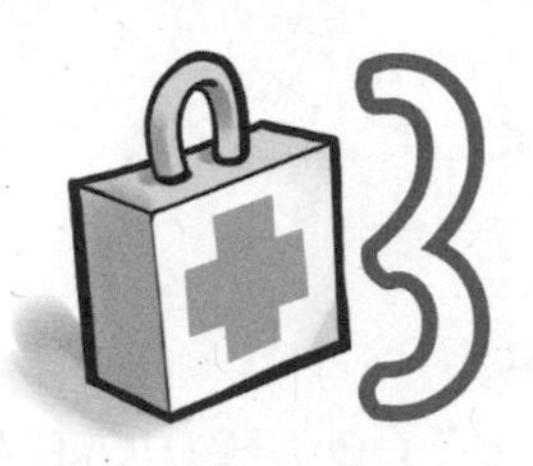

Rassurez-vous, le génie va mieux. Après sa chute, il a fait une légère commotion cérébrale suivie d'un coma, mais nous sommes deux heures plus tard et son teint est déjà plus rose. Il trouve même la force de sourire. C'est vous dire...

– Il faut continuer d'appliquer de la glace, conseille tout de même le docteur Gagnon aux Pomerleau, après l'avoir examiné. Surveiller ses pupilles, lui faire la conversation et observer si ce qu'il raconte est cohérent.

– Ce serait bien nouveau... marmonne Albert.

– Si vous avez la moindre inquiétude ou si jamais son état se dégrade, n'hésitez pas à me téléphoner. Dans certains cas, il peut y avoir des séquelles...

– Des séquelles ? s'énerve déjà Huguette.

– Les risques sont minimes, mais il nous a tout de même fait un petit coma tout à l'heure, notre ami. On ne sait jamais...

Albert Pomerleau ne partira donc pas pour le mont Albinos. Pas aujourd'hui, du moins. Huguette a beau lui répéter qu'il peut faire son expédition sans s'inquiéter, qu'elle prendra grand soin du génie, il n'en démord pas.

– Je ne vais certainement pas te laisser seule avec cette espèce de génie à bosse !

– Ne parle pas si fort, Albert... il a encore mal à la tête.

– Il l'a fait exprès !

– Mais non. Quelle idée !

– Il peut dire adieu à sa télé plasma, en tout cas !

– Ça…

– Il peut dire adieu à son iPod touch, aussi!

– Tu lui avais promis un iPod touch?!

– Dire que je serais déjà là-bas, en ce moment… humant l'air pur des montagnes, mais non! Monsieur a tout gâché encore une fois!

– Rien n'arrive pour rien, Albert. C'est un signe de la vie…

– Un signe qu'il est le pire fauteur de troubles!

– Un signe que tu ne devais pas partir avec lui, tout simplement.

Albert rumine, fulmine, fait les cent pas de la cuisine au salon et finit par annoncer avec force et conviction :

– Chose certaine : je pars demain !

– Très bonne idée, Albert.

– Sans lui !

– C'est plus sage, en effet.

– Au diable la mule et le sherpa !

– Tu es un grand !

– J'affronterai ours et couleuvres en solitaire !

– Digne de tes glorieux ancêtres !

Albert Pomerleau s'assoit et expire. Mais au bout d'un moment, fixant les coussins fleuris, il demande :

– Pourquoi tu ne viendrais pas escalader le mont Albinos avec moi, Huguette ? Hmmm ?

– Non, chéri.

Il pleut. Une pluie dense, drue et froide qui donne envie de flâner toute la journée sous la doudou. Une pluie à dormir debout. Une pluie capable de dissuader le plus téméraire des aventuriers. Mais pas Albert Pomerleau. Oh que non! Il est sous la douche en ce moment, ultime étape avant son départ. Cette fois, rien ni personne ne l'arrêtera.

Le génie Bradoulboudour, pour sa part, vient d'apparaître en pyjama dans la cuisine. Un peu zombie, il s'assoit à la table sans parler, sans se servir de café, sans dire bonjour à Huguette qui l'observe du coin de l'œil.

– Comment allez-vous, ce matin? s'informe-t-elle en plaçant devant lui un grand verre de jus d'orange vitaminé.

– Bien... répond-il mollement.

Il avale une rasade de jus, dépose lentement son verre et finit par retourner la question à Huguette.

– Et vous ? Comment allez-vous, ce matin?

– Je vais très bien, merci.

– Je suis content.

Le ton de Brad est étrange. Huguette le note immédiatement. Quelque chose de différent... Un petit chevrotement dans la voix. Une certaine fébrilité, peut-être ? Elle ne saurait dire.

– Votre bosse ne vous fait pas trop souffrir? demande encore Huguette.

– Ma bosse ? Quelle bosse ?

Huguette éclate de rire.

– Alors, c'est que vous allez vraiment mieux.

– Je vais mieux, moi ? Je n'allais pas bien, alors ?

– N'empêche qu'il n'est pas question de partir en montagne ! De toute manière, Albert a décidé de faire l'expédition en solitaire. C'est préférable, dans les circonstances…

Brad ne réplique pas. Son regard se pose lentement sur chaque objet, comme si le moindre petit détail devenait pour lui une curiosité.

Étrange.

– Céréales ou rôties ? demande Huguette.

– Céréales ou rôties… céréales ou rôties… céréales ou rôties… comment savoir ?

– Un bon café, alors ?

Le génie regarde Huguette en souriant...

– C'est vraiment très gentil à vous de prendre soin de moi, madame.

– Madame ? Vous ne m'appelez jamais « madame », vous êtes fort poli ce matin, mon cher !

Brad boit son café en silence. Huguette replonge dans son journal, mais le génie ne la quitte pas des yeux. Il la fixe, l'observe, l'épie sans cesse. Ce petit manège finit d'ailleurs par lui tomber sérieusement sur les nerfs.

– Vous voulez me dire quelque chose ? Un service à me demander, peut-être ?

Il hésite un peu puis se lance...

– On se connaît bien, vous et moi, n'est-ce pas ?

– Pardon ?

– Quel est votre nom ?

Huguette observe Brad un moment. Que signifie cette ridicule question ?

– Qui êtes-vous ? s'informe le génie, qui n'a pas l'air de saisir que la blague a assez duré.

– Je pense que vous devriez vous reposer encore un peu, mon ami.

– Nous sommes amis, alors ?

Huguette tente de rester calme, mais lui décoche un regard sévère. Brad se tait, baisse les yeux, soupire et réussit même à faire pitié.

– Je m'appelle Huguette, finit-elle par annoncer, se demandant bien pourquoi elle répond.

– Oh, Huguette ! C'est un très joli prénom, la complimente Brad.

Le pire, c'est qu'il a l'air sincère. Huguette ne comprend toujours pas.

– Et où suis-je ?

– Pardon ?

– Ici, c'est chez vous ou chez moi ?

Huguette le fixe un moment. Il n'a pas l'air de rigoler.

– Vous ne savez pas où vous êtes ?

– J'habite ici ?

– Bon. Retournez vous coucher, d'accord ? Encore un peu de sommeil et tout sera oublié.

– Je préférerais plutôt me souvenir, rétorque le génie en se dirigeant lentement vers sa chambre.

Huguette reste seule, perplexe…

« Le coup sur la tête… se dit-elle. Est-ce possible que Brad ait perdu la mémoire ? Les séquelles dont parlait le docteur Gagnon, peut-être ? »

– J'ai cru entendre la voix de Brad, fait Albert, qui arrive dans la cuisine, une serviette de bain enroulée autour de la taille. Il est réveillé ?

– Il est retourné se reposer un peu.

– Il va mieux ?

– Il ne pourra pas partir, en tout cas.

Albert saisit évidemment le malaise d'Huguette.

– Qu'est-ce qu'il a fait encore ?

Tout dire ou tout taire ? Là est la question.

Elle choisit de se confier.

– Je pense que nous avons un sérieux problème avec notre génie, Albert.

– Nous avons un sérieux problème avec lui depuis qu'il est sorti de sa potiche, Huguette. Ce n'est pas nouveau.

– Je sais, mais cette fois…

Elle se tait. Brad réapparaît dans la cuisine. Comme si c'était le moment… Les yeux hagards, il demande à Huguette en toute candeur:

– Je peux savoir au moins quel est mon nom?

– Nous en reparlerons tout à l'heure, s'empresse de lui chuchoter Huguette, en le poussant doucement dans le corridor. Je vous ordonne d'aller dormir!

– Dites-moi seulement comment je m'appelle…

Albert fronce les sourcils.

– Qu'est-ce qu'il nous invente encore, celui-là? Il ne sait plus son nom, maintenant?

Huguette ignore le commentaire de son mari et dirige plutôt son attention vers le génie, qui n'a visiblement pas l'intention de laisser la question en suspens. Espérant se débarrasser de lui une fois pour toutes, elle lui murmure:

– Vous vous appelez Bradoulboudour… allez, ouste! Au dodo!

– Bradoulbou qui?

– Bra-doul-bou-dour… répète Huguette en pesant bien chaque syllabe.

– Bradloubou… Je n'arriverai jamais à me souvenir d'un tel prénom!

– Tout le monde vous appelle Brad.

– Ah oui. Brad, c'est bien. Et j'habite ici?

– En quelque sorte, soupire Huguette.

– Depuis longtemps?

– TROP longtemps, si vous voulez mon avis!

– Albert, ne t'en mêle pas, s'il te plaît. C'est déjà assez compliqué.

– Je suis de la famille? insiste Brad.

– Ce n'est pas la peine d'en faire autant, s'impatiente Albert. Nous avons compris que vous ne voulez pas partir en montagne !

– Encore cette histoire de montagne ?

– Vous changeriez d'avis que je refuserais de vous y emmener.

– Mais qu'est-ce qu'il raconte ? C'est avec vous que je devais partir, alors ?

– Il m'éneeeeeeerve ! Huguette, dis-lui qu'il m'énerve ! rugit Albert en quittant la cuisine, les poings serrés.

Brad s'assure qu'Albert est hors de vue, se penche un peu vers Huguette et lui murmure à l'oreille :

– L'espèce de grincheux, qui est-ce ?

– Mon mari.

– Oh!

Le docteur Gagnon n'a émis aucun doute : une partie du cerveau de Brad a été atteinte lors de l'impact. Le génie souffre réellement d'amnésie. Pour combien de temps ? Nul ne peut le prédire. Un jour, une semaine, un an, pour toujours ? Il faudra être patient. L'aider à reconstruire sa mémoire petit à petit.

Les enfants, qui viennent d'apprendre la nouvelle, sont sous le choc.

– Il a vraiment tout oublié ? se désole Jules.

– Ce ne sera pas facile, soupire Huguette. Ni pour lui, ni pour nous.

– Es-tu certaine que Brad ne se souvient plus de rien ? demande Guillaume.

– Il ne savait même plus son nom, imagine…

– Et ça peut durer longtemps, son amnésie ?

– Personne ne peut prévoir…

– C'est trop génial ! laisse spontanément tomber Guillaume.

Albert et Jules s'étonnent de sa réaction. Huguette, elle, n'apprécie pas du tout.

– Excuse-moi, Guillaume, mais je ne vois vraiment pas comment tu peux trouver l'amnésie de notre génie géniale…

Guillaume est maintenant lumineux.

– C'est une chance extraordinaire, *mom* ! Si notre génie ne se souvient plus de rien, il ne se rappelle sûrement plus qu'il a exaucé nos deux premiers vœux !

– Et alors ? fait candidement Huguette.

Albert Pomerleau, qui a déjà tout saisi, s'enflamme à son tour :

– Alors, on peut lui faire croire n'importe quoi !

– Exact! On va lui apprendre qu'il est un génie, qu'il vient d'apparaître chez nous et lui annoncer qu'il nous doit TROIS vœux! Pas UN, mais TROIS !

– C'est trop *cool* ! lance Jules.

– C'est comme un miracle ! renchérit Albert.

– Trois vœux !

– Trois super vœux !

– Yahououou !

Huguette interrompt la petite fête aussitôt.

– Désolée de vous décevoir, mais on ne va certainement pas abuser de la maladie de notre génie.

– Voyons, Huguette, c'est un signe de la vie, comme tu dis si bien.

– Un signe qu'il faut rester honnête en toutes circonstances, Albert.

– Un signe que notre famille mérite trois beaux vœux tout neufs, ma chérie ! Depuis le temps qu'on dorlote notre génie sans jamais rien recevoir en retour, nous sommes enfin récompensés !

– *Yes sir* !

Et voilà les trois gars qui échafaudent déjà leur mégaprojet. On n'entend que des « moi, j'veux... moi, j'veux... moi, j'veux ! » Trois gros bébés gâtés pourris.

Huguette en a assez entendu.

– Je répète que je ne suis pas d'accord ! tranche-t-elle, brisant du même coup l'ambiance de réjouissance qui régnait chez les Pomerleau depuis quelques minutes.

– Mais pourquoi, *mom* ? Donne-nous une bonne raison de ne pas demander trois nouveaux vœux.

– Parce que…

Trois paires d'yeux attendent la suite.

– Parce que ce serait malhonnête. Voilà !

– Malhonnête ?

– Je ne dormirais pas bien, sachant que nous avons fait exaucer cinq vœux alors que, dans toute l'histoire de l'humanité, les maîtres de génie n'ont toujours eu droit qu'à trois ! On aurait l'air de quoi, nous, les Pomerleau ? De vils exploiteurs de génie ?

– Rappelle-toi que les deux premiers vœux n'ont servi qu'à faire plaisir à BRAD, Huguette. Les deux premiers ne comptent pas !

– Bien dit, p'pa !

– Et puis, tu sais parfaitement que tous les maîtres de génie feraient exaucer cinq vœux s'ils en avaient la chance, ma belle.

– C'est vrai, ça, maman!

Entre nous, la réaction des Pomerleau est légitime, non? Difficile pour eux de résister. Ce n'est pas donné à tout le monde de pouvoir faire exaucer trois nouveaux vœux après en avoir fait réaliser deux qui, faut-il le rappeler, ont été passablement ratés.

– On peut demander nos trois vœux, *mom*?

– Dis oui, dis oui, dis oui... s'énerve Jules.

– On verra... finit par laisser tomber Huguette.

C'est comme si elle avait accepté. Les trois autres le savent. Huguette le sait aussi. Ils sont donc tous les quatre aussi corrompus les uns que les autres.

Disons plutôt avides de voir quelques vœux chers réalisés. Après tout, qui passerait à côté de cette formidable opportunité ?

Vous ?

Pas sûre.

Moi ?

Je craquerais aussi.

– Alors ? Quel est le plan de match ? s'empresse de demander Albert, qui ne veut pas perdre une minute.

Cette fois, forts de leur expérience, ils ne retomberont pas dans le piège. Inutile de réfléchir pendant des années pour trouver le vœu parfait. Le vœu parfait n'existe pas de toute manière. Les Pomerleau l'ont bien compris. Il faut savoir apprécier tous les vœux. Les petits, les moyens, les grands. Ils feront réaliser un souhait pour Guillaume, un pour Jules et un pour les parents, sans discuter le choix des autres. Tout sera parfait. Impeccable. Trois souhaits et hop! pas de complications.

L'excitation est à son comble.

Guillaume jette un œil par la fenêtre. Pas de problème : Brad est toujours dans la cour arrière. Il ne se doute de rien.

– Qu'est-ce qu'il fait ? s'informe Huguette.

– Tu ne me croiras pas, *mom*. Viens voir...

Brad s'affaire à arracher minutieusement, une à une, toutes les mauvaises herbes du jardin. Il semble même y prendre plaisir.

Bizarre...

– C'est bien la première fois qu'il se rend utile, celui-là ! lance Albert.

– Il faut faire vite! s'énerve Guillaume. On explique à Brad qu'il est un super génie, on lui remémore quelques

souvenirs et on formule nos trois vœux, d'acc?

– À nous la grande villa en Toscane! s'emballe déjà Albert.

– N'oublions pas de préciser avec piscine et jardinier... hihihi, se laisse emporter Huguette.

Vous dire le sourire des quatre Pomerleau en ce moment! Vous dire l'ambiance qui règne dans leur salon! C'est Noël au mois d'août.

– Vous venez d'apprendre une bonne nouvelle? s'étonne Brad en arrivant, les mains et les genoux maculés de terre noire.

Oups!

Petit malaise ici.

– Vous avez l'air vraiment contents... poursuit le génie.

– Contents ? Nous ? Pas du tout, fait Albert, le sourire béat. Assoyez-vous, mon ami !

– J'ai enlevé toutes les mauvaises herbes de votre jardin...

– C'est extrêmement gentil, lui répond Huguette. Je remettais ce travail depuis des semaines... merci infiniment.

– Je note que le rosier a besoin d'être taillé, aussi. Où est votre sécateur ?

– Avant de jardiner, nous devons discuter un peu, coupe aussitôt Albert, qui ne perd pas de vue le plan initial.

– Jus de raisin ? s'empresse d'offrir Guillaume.

– J'ai des petits muffins aux canneberges aussi, rappelle Huguette. Un peu brûlés, mais délicieux.

– Café ?

– Fromage ?

– Massage ?

Ils sont tous aux petits soins pour leur génie, qui ne s'en plaindra sûrement pas.

– Vous semblez un peu nerveuse, Huguette ? remarque tout de même Brad.

– Moi ? Nerveuse ? Hahahahahahahahahahaha! Pas du tout.

Huguette Pomerleau n'a jamais été aussi tendue de toute sa vie, la pauvre. Elle qui n'a jamais menti à personne, jamais volé un sou noir, jamais triché aux cartes, jamais dépassé la moindre limite de vitesse, elle, si honnête, si droite, voilà qu'elle est sur le point d'escroquer son génie amnésique... ah là là !

Et tout n'est pas gagné ! Encore faut-il expliquer à Brad qui il est, d'où il vient et tout le bien qu'il peut faire dans la vie des gens. Ce qui n'est pas rien. Comment prendra-t-il la nouvelle ? Comment réagit-on quand on apprend de la bouche de ses maîtres qu'on est un génie ? Ce sera sans doute un choc pour lui. Or le moindre traumatisme pourrait lui faire retrouver la mémoire et les Pomerleau n'auraient plus droit qu'à un seul et dernier vœu. Retour à la case départ. Remarquez, Brad serait guéri, ce qui serait bien aussi.

Bref, tout cela est complexe. Très complexe.

– Brad, assoyez-vous, mon ami. Nous devons vous parler, annonce Albert, tout sourire.

– Oui, assoyez-vous, répète Huguette en se tordant les mains. Assoyez-vous, Brad.

– Mais je suis assis, Huguette.

– Oh ! oui, c'est pourtant vrai.

– Alors ? fait Bradoulboudour, prêt à tout entendre.

– Vas-y, Albert. Dis-le-lui…

– Non, chérie, dis-le-lui, toi…

– Me dire quoi ? s'inquiète un peu le génie.

– Je peux tout lui dire, moi ?

– Non, non, Guillaume!

Jamais les Pomerleau n'ont été dans un tel état de fébrilité.

Huguette se décide à casser la glace.

– Brad, vous devez savoir qui vous êtes vraiment !

– En effet, il est temps de passer aux vœux ! renchérit Albert avec assurance.

– Pardon ? fait Brad.

– Euh… aux aveux ! Je voulais dire aux aveux. Excusez-moi.

Huguette lève les yeux au ciel et poursuit :

– Autant vous l'apprendre sans détour, Brad, vous êtes un génie.

– Un génie ? Moi ?

– Voilà.

– Un vrai génie ?

– Tout à fait.

– Mais c'est formidable !

– C'est ce que nous pensons aussi.

Jusqu'ici, tout va bien. Bradoulboudour prend la nouvelle avec désinvolture. Il sourit et semble tout à fait détendu.

– Un génie en quoi ? demande-t-il. En mathématiques ? En mécanique ? En électronique ?

En fait, il n'a rien compris.

– Vous êtes un génie de potiche, précise Huguette.

– Un génie de potiche ? Et qu'est-ce que ça fait dans la vie, un génie de potiche ? Des potiches ?

Les Pomerleau s'empressent de lui fournir quelques explications, pesant bien leurs mots, prenant soin d'omettre certains détails et d'inventer astucieusement tout le reste. Assis bien droit, attentif comme un premier de classe, Brad les écoute avec sérieux.

– Vous voulez dire que moi, j'ai passé 40 ans enfermé dans un vieux pot ?

– Et grâce à nous, vous avez été libéré ! s'exclame Jules.

– Et vous nous avez promis d'exaucer trois vœux, précise rapidement Guillaume.

– Pourquoi riez-vous, Brad ? demande Huguette.

– Les génies qui exaucent des vœux n'existent pas, mes pauvres amis. Ce sont des histoires pour faire rêver.

– Les génies existent ! lance aussitôt Jules. Vous êtes un génie, Brad ! Vous avez tous les pouvoirs d'un génie ! Vous êtes même un super génie !

– Meuh non.

– Oui !

– Ce n'est pas possible. Et puis, regardez mon tour de taille : vous croyez vraiment que j'entrerais dans une potiche ?

Albert ne se contient plus.

– Écoutez, Bradoulboudour, je n'ai jamais cru aux sornettes de génies, moi non plus, mais quand j'ai vu le palace dans la cour…

– Le palace ? s'étonne Brad.

La gaffe !

Albert vient d'évoquer le premier vœu exaucé chez les Pomerleau. Bravo! De quoi remuer les souvenirs de Brad et lui faire retrouver instantanément la mémoire! Les trois autres lui décochent un œil furieux. Huguette tente de sauver la situation du mieux qu'elle peut...

– «Voir le palace dans la cour», c'est une expression qui signifie qu'Albert a tout compris. Qu'il garde espoir. On dit «voir la lumière au bout du tunnel» ou «voir le palace dans la cour». N'est-ce pas, chéri?

– Exactement...

Craignant que les choses ne s'enveniment davantage, Guillaume propose de formuler le premier vœu sans tarder.

– Bon, bon, bon, fait Brad, peu convaincu. Je vais essayer.

– J'ai confiance en vous! le rassure aussitôt Jules. Vous allez réussir!

– Bien sûr qu'il va réussir ! ajoute Albert. Exaucer des vœux, c'est comme faire de la bicyclette, ça ne s'oublie pas !

– Peut-être que vous avez raison, laisse tomber le génie. Allons-y pour le vœu !

– Je formule le premier ! annonce Guillaume, tout excité. Je veux un super scooter !

Le génie ferme les yeux, mais les rouvre aussitôt :

– Quelle couleur, le scooter ?

– Rouge.

– Bien.

Il ferme les yeux.

Les rouvre.

– Avec des accessoires ?

– Non.

– Bien.

Il ferme les yeux.

Les rouvre.

– Même pas une petite pompe qui fait pouet pouet?

– Bon, d'accord, avec la petite pompe qui fait pouet pouet…

Le génie ferme les yeux.

Et… ne les rouvre pas.

Fiou!

Silence complet dans le salon.

Tous les espoirs sont permis.

Moment stressant, tout de même.

Brad a toujours les paupières closes.

Il ne bouge pas.

Reste muet.

Aucune réaction.

Toujours pas de réaction.

C'est un peu long, d'ailleurs…

On entend même une mouche voler.

– Juste ciel ! Il n'est pas retombé dans le coma, j'espère ? s'inquiète Huguette.

Albert s'impatiente :

– Brad !

– …

– Brad !

– …

– BRAAAD, VOUS DORMEZ !!!

– Hein ? Oh ! Euh… non, non. Je ne dormais pas. Qu'avez-vous dit ?

Il dormait.

– Vous avez réalisé mon vœu ? s'informe Guillaume.

– Eh bien…

– Vous avez fait apparaître mon scooter ?

– C'est-à-dire que…

– Que ?

– Que je…

– Que je quoi ?

– Que je ne…

– Cessez ces ridicules QUE JE NE ME QUE JE et répondez ! hurle Albert, à bout de nerfs. Vous avez réussi à faire apparaître le scooter de Guillaume, oui ou non ?

– Je ne sais pas.

– Vous ne savez pas quoi ?

– Je ne sais pas exaucer les vœux. Je suis sincèrement désolé. J'ai beau fouiller dans ma mémoire, je ne me souviens de rien, affirme-t-il en se levant.

– Mais faites un petit effort ! Concentrez-vous un peu ! insiste Albert.

– Gardez espoir, mes amis ! Nous finirons par voir le palace dans la cour… déclare Brad.

– Qu'est-ce qu'il radote ?

– Je vous laisse. J'ai du travail à faire, conclut Brad en sortant.

Les quatre Pomerleau restent pantois.

– Pauv' tit… soupire Jules. Il fait pitié.

– Je suppose qu'il faut lui laisser du temps, ajoute Huguette. Ne le brusquons pas…

– Je pense qu'on a tout perdu, se désole Guillaume.

– Déjà qu'il ne servait pas à grand-chose… marmonne on sait qui.

Et pendant que les Pomerleau dépriment, monte le grondement d'un moteur de tondeuse dans la cour…

Dans la vie, il y a toujours une solution à tout. Un plan B. Une deuxième chance. À condition bien sûr de prendre le temps de réfléchir. Sans paniquer. Sans rien brusquer. Et comme les Pomerleau ne sont pas du genre à baisser les bras, cet après-midi, au sous-sol, loin des oreilles de Bradoulboudour, ils tentent d'élaborer une stratégie qui l'aiderait à se souvenir comment exaucer les vœux.

– Un autre coup sur la tête! Voilà ce qui le guérirait!

– Mais non, Albert. Ce n'est pas une solution!

– Le docteur Gagnon nous l'a dit, le moindre choc pourrait lui faire retrouver la mémoire, Huguette.

– Mais il se souviendrait qu'il a exaucé les deux premiers vœux, p'pa.

– Un tiens vaut mieux que trois tu l'auras, mon Guillaume. On récupérerait au moins notre dernier vœu.

– Peut-être qu'un petit coup pourrait lui faire retrouver juste une petite partie de sa mémoire ?

– Ah ! C'est pas fou, ça, Jules ! Un genre de...

Bang !

Le bruit vient du rez-de-chaussée, juste au-dessus de leur tête. En fait, pour être précis, les Pomerleau ont entendu une espèce de beding bedang, suivi d'un bang, suivi d'un silence qui n'a rien de rassurant, croyez-moi.

Brad aurait-il fait une chute ?

Inquiets, les Pomerleau prennent un bon moment avant de réagir...

– Qui va voir ? finit par demander Huguette.

– Pas moi.

– Ni moi.

– Ni moi non plus.

Sans oser monter les marches, dirigeant seulement sa voix vers le haut de l'escalier, Huguette crie de tous ses poumons :

– Ça va, Brad ?

Silence troublant.

– Rien de cassé ?

Toujours ce silence, toujours aussi troublant.

– C'est notre faute ! grogne Albert. Je ne connais personne qui laisserait son génie amnésique sans surveillance.

– Personne n'a de génie amnésique, chéri.

– On ne sait pas ce qui se passe chez les voisins, ma belle Huguette. On cache bien le nôtre…

Mais cessons de nous morfondre, puisque Brad descend justement l'escalier. Il porte même un plateau de biscuits fondants, des tasses et une théière fumante...

– Désolé pour le bruit, tout à l'heure, mes amis... par mégarde, j'ai laissé tomber l'aspirateur.

– Vous passiez l'aspirateur ? s'étonne Albert.

– Quelqu'un veut des biscuits aux brisures de caramel ? demande Brad. Ils sortent du four...

– Vous savez cuisiner les biscuits, aussi ! s'emballe Huguette.

– Ce sont mes tout premiers, avoue humblement Brad. J'ai voulu vous faire une surprise.

– C'est si gentil à vous...

Huguette craque et croque.

– Ah misère, quel délice ! s'exclame-t-elle, les yeux fermés.

– Bah ! Je n'ai fait que suivre la recette...

– Et le dessous n'est même pas brûlé! Je n'ai jamais réussi cet exploit.

– Lait au chocolat pour les garçons, et un thé noir pour vous, Albert.

Ai-je besoin de préciser que pendant cet intermède aux parfums sucrés, les Pomerleau en oublient complètement la raison de leur petite réunion de famille au sous-sol ?

– Brad... vous êtes le génie des desserts ! affirme Huguette.

– Entièrement d'accord, renchérit Guillaume.

Les deux autres s'empiffrent trop pour ajouter quoi que ce soit.

– Maintenant, je vous laisse, fait le génie. Je vais laver la voiture.

– Laver la voiture ?

Albert a failli s'étouffer.

– Vous n'êtes pas d'accord ?

– Mais si. Soyez bien à l'aise, voyons. Il faudrait la cirer, aussi.

– Cela va de soi.

– Et passer l'aspirateur à l'intérieur.

– C'est déjà fait, Albert.

Trois semaines se sont écoulées depuis la mémorable dégustation de biscuits au sous-sol. Trois semaines au cours desquelles Bradoulboudour n'a fait que des heureux. Plus personne ne parle de lui donner un coup sur la tête pour lui faire retrouver la mémoire. Pas même un tout petit.

Albert a même reporté son départ pour le mont Albinos, histoire de profiter de ces moments privilégiés. Complètement métamorphosé depuis son amnésie, Bradoulboudour est maintenant la perle rare dont plus personne ne pourrait se passer. Qui l'aurait cru ? Il conseille les uns, rassure les autres, accorde du temps à chacun, se charge de toutes les tâches domestiques et ajoute le petit supplément d'âme qui contribue au bonheur de la famille.

Un cadeau du ciel.

Mais cet après-midi, quand Huguette aperçoit le génie dans l'embrasure de la porte du salon, elle sent monter une vague d'inquiétude.

– Juste ciel, Brad ! Vous êtes si pâle ! Vous n'êtes pas bien ?

Le génie ne dit mot.

Il avance doucement vers elle, tenant un minuscule objet entre son pouce et son index.

– Regardez ce que je viens de trouver sous le tapis, en faisant le ménage...

– Qu'est-ce que c'est ? demande Huguette.

– Un morceau de ma potiche, annonce Brad, la voix nouée.

Il est livide. Ému, sans doute...

Huguette observe attentivement le tesson et reconnaît le motif de la potiche antique dans laquelle a séjourné leur génie pendant plus de 40 ans. Elle ne sait pas comment réagir. Brad aurait-il retrouvé la mémoire? De sa chambre, Guillaume s'inquiète aussi. Il épie la conversation en se mordillant les lèvres.

– Je… je devine ce que vous pouvez ressentir, Brad, bafouille Huguette. C'est toujours troublant de revoir son ancien chez-soi après des années…

– Je me souviens de tout, laisse tomber Brad.

– De tout? s'énerve un peu Huguette.

Le cœur de Guillaume fait trois tours.

– Le grand vizir Jamil, les yeux de la princesse Jamila, l'incendie au palais, l'intérieur de la potiche…

– C'est tout?

Huguette constate que la mémoire de Brad se limite pour le moment à ses souvenirs lointains. Guillaume en arrive à la même conclusion et s'empresse d'intervenir :

– Reste à exaucer nos trois vœux !

– Je peux en effet réaliser vos souhaits sans problème, répond Brad.

– Je peux avoir mon scooter ?

– C'est fait.

– Mon vœu est exaucé ?

– Un scooter rouge avec une petite pompe qui fait pouet pouet, c'est bien ce que tu voulais, non ?

– Coooooool !

Guillaume sort en trombe.

Huguette, un peu fébrile, se demande si elle ne devrait pas profiter de l'occasion pour formuler son vœu, elle aussi. Ne dit-on pas qu'il faut battre le

fer pendant qu'il est chaud ? Sauter dans le wagon quand le train passe et tout et tout…

C'est le moment ou jamais !

– À mon tour, Brad… commence-t-elle, un peu mal à l'aise. Je vais faire exaucer mon vœu.

– Très bien.

– Euh… Albert et moi rêvons d'une grande villa en Tosca…

Mais voilà Guillaume qui revient déjà. L'œil éteint, la mine basse, il annonce :

– Y a même pas de scooter, Brad !

– Qu'est-ce que tu racontes ?

– Nulle part.

– C'est une blague ?

– J'ai cherché partout.

– Il y a sûrement un scooter quelque part, Guillaume ! J'ai bel et bien exaucé ton vœu, mon garçon. J'en suis absolument certain.

– Non.

Cette fois, le génie s'écroule.

– Qu'est-ce qui m'arrive, Huguette ?

– Allons, allons, ne pleurez pas, Brad. C'est probablement trop tôt pour les vœux. La machine n'est pas encore au point.

– Je ne suis plus bon à rien, maintenant. Je suis un génie périmé.

– Mais non.

– Un génie désuet.

– Tout le monde peut perdre ses pouvoirs de génie, Brad.

– Un génie oiseux.

– Vous n'êtes pas oiseux du tout.

– Mais si, je suis oiseux.

Après une bonne demi-heure, les bons mots d'Huguette finissent par consoler le génie. Il se lève avec détermination et, comme investi d'une importante mission, se dirige vers l'escalier qui mène au sous-sol en affirmant :

– Je sais ce que je dois faire !

– Où allez-vous comme ça, Brad ?

– Sortir les vêtements de la sécheuse.

– Oh !

– Ensuite, je préparerai un couscous à l'agneau.

– Mmmmm...

– Je vais vous gâter, mes amis. Vous choyer, vous dorloter !

– Vous le faites déjà, Brad !

– Vous n'avez encore rien vu !

Comment reprocher quoi que ce soit à ce petit homme au fez et à la cravate horrible ?

On en voudrait tous un chez soi, non?

Il faut bien dire ce qui est, Huguette Pomerleau et le génie Bradoulboudour se complètent à merveille. La grande complicité qui s'est installée entre eux depuis quelques semaines commence d'ailleurs à titiller Albert. De son bureau, des bribes de leurs conversations lui écorchent quotidiennement les oreilles…

– Regardez ce que j'ai déniché, Huguette !

– Sublime ! Vous êtes un as de la déco, mon ami.

– La reine, c'est vous, ma chère ! On fait encore un peu de magasinage, cet après-midi ?

– À condition de ne pas s'arrêter pour manger des pâtisseries comme hier !

– Hahahaha !

– Hahahaha !

– Et si on allait plutôt au cinéma ?

– Brad ! Vous n'êtes pas sérieux !

– Je paye les jujubes !

– Ah ! Vous savez parler aux dames...

Bref, au fil des jours, à tort ou à raison, Albert Pomerleau finit par se sentir, comment dire...

Exclus ? Un peu.

Mis au rancart ? Aussi.

Oublié ? De plus en plus.

Ignoré des siens ? Tout à fait.

Et quand, en prime, un après-midi, Jules passe devant Albert sans même le voir et se rue vers le génie en criant :

– Braaaad ! Vous assistez à mon match de soccer, ce soir, hein ?

– Je suis toujours là pour toi, mon grand.

Quand plus tard, il surprend les confidences de Guillaume...

– Brad, il faut que je vous parle...

– Encore des ennuis avec Marie ?

– Non, avec Joëlle.

– Assieds-toi, jeune homme.

Et lorsqu'il entend Huguette demander :

– Brad, vous me conseillez de porter ma jupe verte ou ma robe noire pour ma rencontre avec l'Association des antiquaires ?

– La jupe, assurément.

C'en est trop !

Albert se dit que ce génie prend désormais trop de place au sein de sa famille. À la première occasion, il partage ses inquiétudes avec Huguette, qui ne saisit pas.

Du tout.

– Tu ne peux pas reprocher à Brad d'être parfait, Albert. Il est si généreux, si avenant, si...

– Il a pris le contrôle de notre vie, Huguette ! Nous sommes envahis !

– Mais qu'est-ce que tu racontes ?

– En quelques semaines, monsieur est devenu maître en design intérieur, jardinier, mécanicien, pédagogue, psychologue, chef cuisinier, styliste de mode. Il décide de tout, des menus, il refait la déco, il s'occupe des enfants... Il n'est question que de BRAD dans cette maison. BRAD, BRAD, BRAD, BRAD !!!

Huguette ne réplique pas. Elle plonge ses yeux dans les yeux d'Albert et lui demande, sourire en coin :

– Serais-tu jaloux, Albert Pomerleau ?

Il sursaute.

– JALOUX ? Moi, jaloux de cette espèce de vieux génie de potiche amnésique ? Quelle idée ! Jaloux... Moi, jaloux ! Moi, Albert Pomerleau, jaloux ! Moi... un jaloux !

– Nous en reparlerons, chéri...

– Où vas-tu, Huguette ? Je n'ai pas terminé. Il faut trouver une solution !

– Je vais aider Brad à préparer le souper. Le pauvre ne peut pas toujours tout faire tout seul...

Huguette se dirige vers la cuisine.

Brad est aux fourneaux, il touille une sauce béarnaise, porte le tablier d'Huguette et les pantoufles d'Albert. Il semble en parfait contrôle de la situation.

Mais dès le lendemain, profitant de l'absence de Bradoulboudour (parti faire l'épicerie de la semaine, n'est-ce pas formidable?), Albert convoque une petite réunion de famille d'urgence.

– Pas encore une réunion de famille d'urgence! se plaignent les deux garçons.

– Nous devons discuter de l'avenir de Brad, annonce Albert.

– L'avenir de Brad? répète Guillaume.

– Il veut faire autre chose que génie? demande Jules.

– Fermez la télé, c'est très sérieux.

Ils obéissent à contrecœur.

– Les enfants, j'ai bien réfléchi, commence Albert. Garder un génie incapable d'exaucer des vœux, c'est un peu comme garder une voiture sans moteur. Une lampe sans ampoule. Un vélo sans roues. Une mixette sans batteurs. Une...

– Ça va, mon chéri, on comprend l'idée !

– Rappelez-vous l'entente au départ : Brad devait réaliser nos trois souhaits et nous quitter ! Mais maintenant qu'il est inapte, il faudrait songer à ...

– Tu voudrais qu'il parte ? s'étonne Guillaume.

– C'est une option à envisager, disons. On ne peut pas le garder avec nous pour toujours !

– Mais peut-être qu'il va guérir un jour ? lance Jules.

– Mais peut-être pas.

– Brad a perdu ses pouvoirs, mais il exauce plusieurs vœux...

– Exemple ?

– Il m'a appris à être un bon gardien au soccer, répond Jules.

– Autre exemple ?

– Le combat de Dino la mitraille Mortadel, jeudi prochain ! ajoute Guillaume.

– Le combat de qui ? s'énerve un peu Albert.

– Brad nous a invités au combat de boxe, précise Jules.

– Un combat de boxe ! Et vous ne nous en avez pas parlé ? Nous sommes les parents, tout de même ! Tu le savais, toi, Huguette ?

– J'ai un billet aussi.

Albert tente de contenir son irritation du mieux qu'il peut, mais son visage est écarlate. Ce génie encombrant doit quitter la maison et vite ! Peu importe les petits services qu'il leur rend.

– Je propose qu'on passe au vote ! s'exclame Albert.

– Moi, je veux garder notre génie ! déclare rapidement Jules.

– Moi aussi, fait Guillaume. Pas question de le laisser partir !

Albert tente de rester calme.

– Huguette ? Ton avis ?

La pauvre est prise entre l'arbre et l'écorce. Elle sait qu'Albert ne peut plus supporter le génie, mais les enfants ne se résigneront jamais à le voir quitter la maison. Et puis, toutes ces tâches ménagères que Brad accomplit, les après-midi qu'ils passent à papoter en prenant le thé, leur complicité aussi, leurs projets…

– On pourrait peut-être lui louer un petit studio tout près d'ici ? suggère-t-elle sans conviction.

Albert espère avoir mal entendu la proposition. Les enfants aussi, mais pour des raisons différentes.

– Et qui payera le studio tout près d'ici? demande Albert.

– Et nous, on passerait une semaine chez Brad et une semaine avec vous ? s'inquiète Jules.

– Un genre de garde partagée ? C'est non ! conclut Guillaume.

Albert soupire un grand coup. Et pendant qu'il cherche de nouveaux arguments, Brad fait irruption dans la maison :

– You hou ! Les Pomerleau ! J'ai acheté des chocolats fins! Qui en veut ?

Huguette et les enfants se ruent vers leur génie, trop heureux de mettre fin à la petite réunion de famille.

Albert, lui, ne bronche pas. Il reste seul au salon et se dit qu'il trouvera bien une solution…

Dans son bureau, depuis des heures, Albert Pomerleau additionne pour la dixième fois la colonne de dépenses de la compagnie WTW en bayant aux corneilles. Huguette, dans son atelier, fait briller une petite bouilloire de cuivre qui date du temps de Mathusalem. Les enfants sont sortis. La maison est calme, enfin... jusqu'à ce que Bradoulboudour entre en trombe dans la pièce d'Huguette avec un nouveau projet en tête...

– Votre cuisine est désuète, ma chère amie!

– Je sais, Brad, répond-elle, sans emphase.

– J'ai décidé de la rénover.

– Quoi ?

– Je vais enlever les vieilles tuiles bleu poudre et je poserai de la céramique!

Elle le regarde...

Il a l'air sérieux.

– Brad, vous avez de bonnes idées, mais, sans vouloir vous offusquer, je ne vous connais pas de grand talent pour la rénovation.

– Avec mon nouveau *Manuel illustré du bricoleur* et un peu de détermination, tout est possible, Huguette !

Il a raison. Tout s'apprend, dans la vie. Le bricolage aussi ! Et puis, ils remettent cette tâche depuis des années, alors... pourquoi ne pas la confier à Brad ? Reste à savoir ce qu'en pensera Albert.

Elle ne tardera pas à le lui demander.

– Albeeert ! Viens ici, mon chéri, vite! Brad a une excellente nouvelle à t'annoncer !

Albert Pomerleau sort de son bureau illico...

– Une bonne nouvelle ? Laisse-moi deviner... Il se souvient comment exaucer nos trois vœux!

– Non, mais...

– Nous avons déjà notre villa en Toscane avec piscine et jardinier !

– Non, il...

– Il nous offre gracieusement trois nouveaux vœux en prime ! Ha ! Quel génie généreux !

– Brad propose de rénover la cuisine, Albert.

– Je vais tout faire moi-même, intervient le génie en sortant un ruban à mesurer de sa poche.

Albert lève les yeux au ciel.

– Mon pauvre Bradoulboudour, avec tout le respect que je vous dois, et malgré tous les efforts que vous déployez depuis quelques semaines, je ne pense pas que vous puissiez refaire une cuisine. Oubliez cette idée !

– Faites-moi confiance, Albert. Vous ne serez pas déçu.

– C'est non. Nous n'avons pas les moyens de rénover, Brad ! Avec tout ce qu'il me reste à payer de votre escapade au Mexique !

– Ce sera trois fois rien. La main-d'œuvre est gratuite ! Profitez-en !

– Je veillerai à ce qu'il n'y ait aucun achat inutile, chéri, déclare Huguette.

Albert voudrait bien répliquer, mais elle se dirige déjà vers la cuisine, échafaudant quelques plans avec son génie :

– Est-ce qu'on changera l'évier et les robinets aussi, Brad ?

– On jette tout.

– Et ces luminaires démodés ?

– Poubelle !

– Les armoires ?

– Vidanges !

– Le papier peint ?

– Aux oubliettes !

Albert réfléchit.

Pourquoi ne pas sauter sur l'occasion ? Après tout, Brad deviendra peut-être un maître de la rénovation, si on lui en donne l'opportunité. Il a déjà fait d'énormes progrès dans plusieurs domaines depuis son amnésie. Peut-être même qu'il pourrait refaire la toiture ensuite ? Changer les fenêtres ? Aménager la chambre de Guillaume au sous-sol ? Creuser une piscine ? Installer un SPA ? Une verrière ? Un jardin avec un étang ? Un terrain de tennis ?

Toujours prudent, Albert se dit qu'il doit tout de même méditer sur la question encore un peu. Surtout, ne pas agir sur un coup de tête. Toujours peser le pour et le contre, telle est sa devise ! Il donnera sa réponse demain. Et seulement s'il est absolument certain de sa décision.

La porte d'entrée se ferme. Albert sursaute, regarde par la fenêtre et voit la MG qui s'éloigne.

Huguette et Brad sont déjà partis acheter le matériel pour refaire la cuisine.

Albert n'a pas fermé l'œil de la nuit. Il a dressé des plans, visualisé des scènes, imaginé les pires machinations pour éloigner le génie de la maison une fois pour toutes. Mais voilà que ce matin, comme s'il sentait la soupe chaude, comme s'il avait tout deviné, Bradoulboudour vient de lui faire une proposition pour le moins… inespérée !

Pris au dépourvu, Albert ne sait trop comment réagir pour le moment. Il est pétrifié.

– Alors, Albert ? Qu'en pensez-vous ?

– Pourquoi une telle… invitation ? bafouille Albert.

– Pour vous faire plaisir, mon cher! N'est-ce pas dans la nature des génies de veiller au bonheur de leur maître?

– Peut-être, mais…

– Vous rêvez d'escalader le mont Albinos, Albert, j'ai décidé de vous accompagner!

Cette fois, Albert allume.

– C'est Huguette! Je suis certain que c'est elle qui vous a suggéré l'idée!

– Pas du tout! Je pense sincèrement que l'air pur du mont Albinos nous fera le plus grand bien. Et puis, je vous sens un peu raplapla, ces derniers jours…

– Moi, raplapla?

– Ce sera beaucoup plus prudent si nous partons à deux, croyez-moi.

Entre nous, Albert Pomerleau a beau fanfaronner, jamais il n'escaladera le légendaire mont Albinos en solitaire. Il adore le plein air, mais il n'a ni le courage ni la détermination de ses ancêtres, que voulez-vous ! Ce qu'il n'avouera jamais. À personne. Et surtout pas à Brad. Alors, l'offre de son génie est plutôt alléchante.

– Êtes-vous certain d'être assez en forme pour escalader une montagne, Brad ?

– Je fais du jogging chaque jour, mon ami.

– Vous faites du jogging ? Vous ?

– Pourquoi cet air ahuri ? J'ai commencé les poids et haltères, aussi. Remarquez, ce sont de tout petits poids...

– Le génie aux petits poids... de mieux en mieux.

– Que marmonnez-vous ?

Albert réfléchit toujours. Il se demande s'il aura la patience d'endurer ce génie si « parfait » en montagne. N'empêche que pareille occasion ne se représentera peut-être pas. Et puis, le nouveau Brad maintenant si serviable serait fort utile à défaut d'être agréable...

– J'accepte ! finit par annoncer Albert. Tout bien considéré, je crois que c'est une bonne idée.

– Splendide !

– Nous partons cette semaine ! Demain, pourquoi pas ? Profitons du beau temps...

– Mais non, Albert ! Nous rénovons la cuisine ensemble d'abord et ensuite nous partons ! C'est le marché que je vous ai proposé.

– Quoi ?

– J'ai dit : nous rénov...

– Vous n'avez JAMAIS parlé de rénover la cuisine avant de partir, Bradoulboudour !

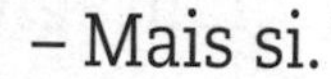

– Mais si.

Albert respire un grand coup, tente de se calmer et propose à son tour:

– Au retour du mont Albinos, je serai votre fidèle assistant, Brad. Vous avez ma parole!

– Tut tut tut! D'abord le travail, ensuite le plaisir, Albert. C'est ce que j'essaye d'enseigner à Jules et Guillaume. Donnez l'exemple, mon ami.

– Vous allez encore gagner! Vous gagnez partout! Je n'en peux plus…

– Qu'est-ce que vous dites?

– …

– C'est oui?

– Bon, d'accord… marmonne Albert, sans enthousiasme.

Albert Pomerleau vient donc officiellement de conclure une entente avec le génie Bradoulboudour. Moment historique. Sonnez, tambours, trompettes, clairons, cymbales et tout l'orchestre.

Le début des travaux est prévu pour demain matin, 7 heures. Le grand départ pour le mont Albinos pour vendredi prochain.

Le projet de rénovations d'Albert Pomerleau et du génie Bradoulboudour : une épopée digne d'un grand film à petit budget, croyez-moi !

Jour 1

Scène 1, intérieur de la cuisine des Pomerleau.

Matin ensoleillé. Les oiseaux chantent. À genoux, dans le coin gauche de la cuisine, Albert essaye d'arracher la première tuile en sifflant l'air de « Il était un petit navire ». Debout, dans le coin droit, Brad tente de soulever le premier carreau de céramique au mur.

Tous les espoirs sont permis.

Scène 2, une heure plus tard.

C'est Albert qui se bat maintenant avec le carreau de céramique. Brad sifflote en le regardant.

– Où est votre foutu *Manuel du bricoleur*, Brad ? demande Albert, déjà à bout de nerfs. Je n'y arriverai jamais !

– Gardez votre bonne humeur, mon ami.

Albert se répète qu'il doit rester calme tout au long des travaux. Il ne veut pas perdre son partenaire d'escalade…

Scène 3, vers midi.

Brad et Albert ne savent toujours pas comment faire pour enlever les ridicules tuiles de céramique qui s'obstinent à rester collées. Brad descend au sous-sol d'un air décidé et revient avec une grosse masse.

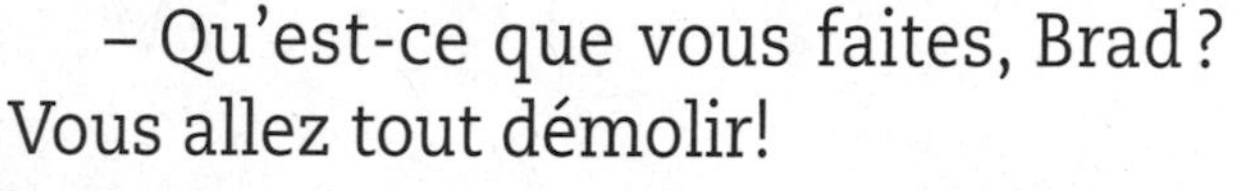

– Qu'est-ce que vous faites, Brad ? Vous allez tout démolir !

– Éloignez-vous, Albert!

– Donnez-moi cette masse immédiatement!

– Reculez!!!

Le génie frappe à grands coups sur la céramique et en profite pour défaire les armoires aussi.

– Et voilà! fait le génie, triomphant, quand tout est en morceaux.

– Je n'approuve pas la méthode, Bradoul, mais j'avoue qu'elle est efficace! siffle Albert, admiratif.

Scène 4, milieu de l'après-midi.

La cuisine n'est plus qu'un champ de bataille dévasté. Reste à reconstruire, ce qui n'est pas rien. Albert et Brad regardent l'étendue des dégâts, mais demeurent optimistes.

– On fait quoi, maintenant ? demande Albert.

– Que diriez-vous d'un petit gueuleton ?

Scène 5, heure du souper.

Il n'y a plus d'électricité. Par mégarde, Brad a sectionné quelques fils, cet après-midi. Albert sort sa nourriture déshydratée et son réchaud au propane, heureux que son fameux matériel d'expédition serve enfin.

– On devrait faire du camping dans le salon plus souvent! s'exclame Jules.

– C'est vrai que c'est *cool*, ajoute Guillaume.

Le génie est toujours dans la cuisine.

– Juste ciel ! Mais qu'est-ce qu'il démolit encore ? s'inquiète Huguette.

Jour 2

Scène 6, matin, intérieur de la cuisine dévastée des Pomerleau.

Brad a pris l'initiative de jeter à terre le mur qui séparait la cuisine de la salle à manger. Albert considère que c'est une excellente idée. La salle à dîner n'en sera que plus éclairée. Huguette annonce qu'elle s'en va habiter chez sa mère avec les enfants, le temps que dureront les travaux.

– Je vous fais entièrement confiance… affirme-t-elle avant de fermer la porte. Ce sera sûrement très, très joli.

Elle n'a jamais été aussi découragée de toute sa vie.

Scène 7, après-midi, intérieur de la cuisine dévastée des Pomerleau.

Albert pense qu'il est allergique à la poussière. Brad découvre qu'Albert est une petite nature. Albert se dit qu'il est peut-être allergique à Brad, après tout.

– Alors ? Vous savez comment refaire le comptoir, je présume ? demande Albert.

– Quelle coïncidence, mon ami ! J'allais vous poser la même question !

Du joli !

Ils clouent, scient et pestent jusqu'à 4 heures du matin. Ils finissent par construire une espèce de structure qui servira de comptoir.

Jour 3

Scène 8, cuisine des Pomerleau en ruine, mais avec un petit comptoir tout croche.

L'agent Duclos et le sergent Morissette débarquent chez les Pomerleau sans prévenir. Loin de venir faire une visite d'amis, ils remettent à Albert un constat d'infraction.

– Un quoi? s'étonne Albert.

– Les voisins se sont plaints des bruits de marteau et de scie entendus jusque tard dans la nuit ! affirme Morissette.

– Tut tut tut ! Aidez-nous plutôt à poser l'évier... les supplie Bradoulboudour.

Duclos accepte de bon cœur. Morissette s'impatiente et rappelle à Duclos qu'ils sont en devoir et qu'en devoir, les policiers ne touchent pas aux éviers de cuisine. Duclos s'excuse et dépose accidentellement l'évier sur les orteils de Morissette.

Le téléphone de Duclos sonne juste au bon moment.

Une mystérieuse affaire est survenue dans le quartier, paraît-il. Duclos affirme qu'il ne peut pas en révéler davantage. C'est lui qui sera responsable de l'enquête.

Scène 9, en soirée.

Huguette téléphone et demande si les travaux vont bon train. Albert affirme que tout va très, très bien et que dans quelques jours la cuisine sera nickel comme dans une revue de déco.

Huguette décèle parfaitement le désespoir dans le ton de sa voix.

Jour 4

Scène 10, milieu de l'après-midi.

Brad, armé d'un fer à souder, tente de réparer un tuyau d'eau chaude qui pend du plafond. Albert, qui tient le tuyau à bout de bras depuis une demi-heure, n'en peut plus.

– Dépêchez-vous, Brad ! Je vous répète que j'ai des crampes !

– Tenez bon, j'achève !

– Je suis sur le point de tout lâcher !

– Cessez de gémir, Albert, vous croyez que c'est plus drôle pour moi, peut-être ?

À bout de forces, Albert, qui a tout donné, craque et laisse tomber le tuyau. Le pire survient.

Brad reçoit le tuyau sur la tête.

Le voilà cloué au sol, le pauvre.

Albert, complètement paniqué, compose le 911.

Huguette n'est pas passée par la maison. Elle était encore chez sa mère quand elle a appris la nouvelle de l'accident. Elle a couru à l'hôpital immédiatement.

Elle est au chevet de Bradoulboudour depuis près d'une heure, déjà. La tête enrubannée dans les pansements, le génie fait pitié à voir. Cette fois, le docteur Gagnon le gardera en observation pendant quelques jours. Nul ne sait quand Bradoulboudour pourra quitter l'hôpital…

– Vous avez besoin de quelque chose, Brad ? demande Huguette. Un peu d'eau ?

– Oui, merci… fait-il faiblement.

– Voulez-vous que je remonte vos oreillers ?

– Ce serait gentil...

– Tenez ! Et je vais ouvrir la fenêtre... Ça va ou c'est trop frais ?

– C'est trop frais.

– Je ferme, alors.

– Donnez-moi la télécommande de la télé, Huguette...

– Bien sûr.

– Et un petit bonbon.

– Voilà !

– Pas au citron. Un rouge, s'il vous plaît.

– Désolée.

– Et encore un peu d'eau.

– Pas de problème.

Huguette s'assoit sur la chaise inconfortable à côté du lit. Le génie se met à zapper en fixant la télé.

– Brad ? commence doucement Huguette. Il ne faut surtout pas vous faire de souci. Albert m'a dit que les travaux n'étaient pas tout à fait terminés, mais reposez-vous. Il fera la finition sans vous et je l'aiderai. Vous en avez assez fait…

Le génie continue de zapper sans vraiment écouter Huguette.

– Je n'ai encore rien vu, Brad. Est-ce que c'est joli, la nouvelle cuisine ?

– …

– Vous êtes content ?

– …

– Vous avez respecté nos plans, j'espère ? Le comptoir est en granit ou pas ?

– …

– Vous me réservez la surprise ? C'est ça ?

– Ooooh !

– Quoi?

– *Du rififi chez les Tunnerbaum* ! lance Brad, les yeux rivés sur la télé.

« Juste ciel ! Des semaines qu'il n'en avait pas parlé... » se dit Huguette.

– Regardez, c'est la belle Sherley ! Elle a vieilli un peu, non ?

Huguette jette un œil et affirme que Sherley n'a pas vieilli du tout.

– Et le jeune homme qui joue du piano, qui est-ce ?

– Je ne sais pas, Brad. Je ne connais pas la série !

– C'est le petit John-John ! J'ai raté des émissions ou quoi ? Il a l'air d'avoir 20 ans !

– Ils ont sans doute fait un saut dans le temps...

– Je ne comprends pas...

– C'est ce qu'on appelle une ellipse, Brad.

– Chuuuuut !

Huguette assisterait-elle au retour de l'ancien Brad ? Elle en a bien peur...

– Ne manque qu'un bon bol de *pop-corn*... ajoute Brad, qui retrouve le sourire.

Elle en est maintenant persuadée : le génie est guéri.

– Le petit John-John va se marier. C'est incroyable !

Huguette soupire et se dit que l'autre Brad va décidément lui manquer...

Manquera-t-il aussi aux trois Pomerleau qui viennent d'arriver ?

Huguette les entraîne rapidement dans le corridor et ferme la porte de la chambre derrière elle.

– Brad ne va pas bien? s'inquiète aussitôt Jules.

– J'ai une nouvelle à vous apprendre... fait Huguette, la voix tremblante.

– Une bonne ou une mauvaise ? demande Guillaume.

– Brad a retrouvé la mémoire.

– Il peut exaucer notre dernier vœu, alors ? lance aussitôt Albert.

– Reste à trouver ce qui nous ferait plaisir à tous… soupire Huguette. Nous n'en avons plus qu'un, maintenant.

– Et ce sera notre villa en Toscane ! déclare Albert.

– Ah non, p'pa ! C'est nul, une villa !

– On ne va pas déménager en Italie ? se désole Jules.

– Bon, bon, bon ! Prenons le temps de réfléchir… tranche Huguette. Ce n'est ni l'endroit ni le moment pour parler de vœux de toute manière.

Elle a raison.

Ils entrent dans la chambre, comme si de rien n'était et tentent d'arracher Brad à son émission de télé. C'est peine perdue.

Pendant la pause publicitaire, Albert lui glisse tout de même quelques mots à propos des petites réparations à terminer dans la cuisine quand il rentrera à la maison.

– Oh moi, vous savez, les travaux manuels, ce n'est pas tellement ma tasse de thé, Albert, répond le génie.

Un grognement d'impatience monte dans la pièce...

– Et je suppose que vous n'escaladerez pas le mont Albinos non plus ? en déduit Albert.

– Aaah ! Le légendaire mont Albinos ! s'enflamme le docteur Gagnon, qui s'immisce dans la conversation en entrant dans la chambre. Quelle splendeur ! Quelle merveille !

Albert est étonné :

– Vous vous intéressez au mont Albinos, vous aussi ?

– Mon cher, j'ai même juré de l'escalader un jour ! Mais vous savez, les téméraires qui veulent accomplir un tel exploit ne courent pas les rues et je ne m'y risquerais jamais seul…

Albert reste bouche bée un moment, puis déclare :

– Je… je cherche justement un compagnon d'escalade depuis des années, docteur !

– C'est vrai ? se réjouit le médecin, en examinant les pupilles du génie.

– On pourrait peut-être partir ensemble un de ces jours ? Pourquoi pas cet été ? s'emballe Albert. Ou la semaine prochaine ?

Le docteur Gagnon regarde Albert et saisit le sérieux de la proposition…

– La semaine prochaine ? Non.

– Dommage…

– Mais la suivante, je suis en congé, monsieur Pomerleau !

– Topez là, docteur !

– La montagne est à nous !

– AOUTCH ! hurle Brad.

– Oups ! Pardon! s'excuse le docteur Gagnon qui, dans son enthousiasme, a peut-être enlevé le diachylon sur le front de Brad avec un peu trop de vigueur.

Albert Pomerleau jubile.

Il réalisera un grand rêve, et pour une fois, pour une très rare fois, pour la première fois en fait, c'est un peu grâce à son génie…

Assise parmi les décombres de ce qui était jadis une désuète mais coquette cuisine, Huguette Pomerleau déprime un peu. Il y a tant à faire encore ! Des semaines de travaux, sans doute. Et que dire de cette espèce de comptoir qui s'est écroulé quand elle y a déposé son sac à main ?

Albert est parti chercher du poulet frit avec les enfants. Huguette n'a pas le moral pour le poulet, encore moins s'il est frit.

On frappe à la porte, maintenant. Comme si c'était le moment !

Huguette se lève lentement et va ouvrir.

– Ah ! Huguette ! Dieu merci, vous êtes là ! J'ai vraiment besoin de vous !

C'est pire que tout.

C'est l'agent Duclos. Ses traits sont tirés, ses yeux cernés. Il n'a pas dû dormir beaucoup ces derniers temps…

– Je peux entrer, Huguette ? J'aimerais bien prendre un petit café…

– Désolée, Duclos, mais…

– Vous avez soupé ?

– Vous tombez mal. Ma cuisine est en ruine, j'ai eu une journée d'enfer, j'ai une migraine terrible et je n'ai pas le moral.

– Accordez-moi une minute !

– Non.

– On m'a confié une mystérieuse affaire, Huguette.

– On a tous nos problèmes, Duclos.

Elle veut fermer la porte, mais l'agent la tient entrouverte. Il jette un œil prudent autour et s'empresse de chuchoter la suite :

– Nous sommes en présence de phénomènes étranges à Saint-Basile, ma chère. Et je ne rigole pas.

– Ah bon. Je serai prudente. Bonsoir !

– On a retrouvé un scooter dans le secteur... annonce-t-il sur le ton de la confidence.

Huguette ne saisit pas où est le drame et espère en finir en affirmant :

– Nous n'avons pas perdu de scooter, ici, Duclos ! C'est gentil de vous informer, mais...

– Attendez ! Vous ne comprenez pas! Le scooter a été retrouvé sur le toit de l'école, Huguette !

– Qu'est-ce que vous inventez ? Personne ne peut monter un scooter sur un toit, c'est ridicule !

– Et voilà ! Vous pensez comme moi, ma chère Huguette. C'est tout à fait im-pos-si-ble, à moins d'être un... extraterrestre !

– Juste ciel ! s'exclame alors Huguette, qui blêmit.

Duclos ne saura jamais ce qu'elle vient de comprendre...

– Quelle couleur, le scooter, Duclos ? demande-t-elle.

– Quelle importance dans notre enquête...

– QUELLE COULEUR ?

– Rouge, pourquoi ?

– Avec des accessoires ?

– Une petite pompe qui fait pouet pouet.

C'est bien ce qu'elle craignait. Brad avait réussi à exaucer le vœu de Guillaume ! Il l'avait fait apparaître, il ne manquait qu'un peu de précision…

– Vous êtes troublée aussi, Huguette, n'est-ce pas ? Un scooter qui se retrouve sur le toit d'une école, c'est un grand mystère. Tout comme les pyramides d'Égypte, la Caramilk et l'île de Pâques, pour rester dans le thème du chocolat…

Duclos enlève sa casquette et éponge son front. Huguette tremble autant que l'agent.

– Duclos… fait-elle, visiblement ébranlée. Promettez-moi de ne jamais raconter cette histoire de scooter à ma famille, vous m'entendez ?

– Ils auraient trop peur ?

– Ils n'en dormiraient plus.

La voiture d'Albert se gare dans l'entrée. Il faut clore cette discussion rapidement.

– N'en parlez jamais à Brad non plus, d'accord ?

– Oh, mon ami Brad peut très bien comprendre cette...

– JAMAIS !

– Mais... ?

– Je vous demande d'étouffer l'affaire, Duclos. Si vous promettez de vous taire, je vous laisse ma portion de poulet frit.

– Avec les frites ?

– Et la salade de chou !

– Crémeuse ?

– AAAAAAh !

– Bon. D'accord. Je serai discret.

L'agent Duclos se taira. Comme promis.

Et si un jour, par le plus pur des hasards, en vous baladant à Saint-Basile, vous croisez le génie Bradoulboudour, je vous prierais de ne jamais lui parler du scooter rouge retrouvé sur le toit.

Pour le bonheur des Pomerleau, cette histoire doit rester entre Duclos, Huguette, vous et moi.

LE PETIT MOT DE L'AUTEURE JOHANNE MERCIER

L'idée de cette nouvelle aventure de Brad est née lors d'une rencontre à l'école de la Grande-Hermine à Québec. C'est Émy Tremblay qui a décidé du triste sort du génie, pas moi ! Je le jure ! Je n'aurais jamais pu imaginer un truc pareil pour mon pauvre petit Bradoulboudour. Les élèves de la classe m'ont tous convaincue que c'est ce qui devait arriver au génie ! Ils ont gagné. Et je leur dis merci !

Il y a quelques semaines, lors d'une rencontre dans une école, des élèves m'ont proposé une autre aventure… Rien de bien reposant pour mon génie.

Si Brad savait tout ce qui se trame dans son dos lors de mes rencontres dans les classes… Il en va de son destin, bien souvent.

À vous tous, donc, pour votre enthousiasme, vos suggestions de titres que vous me laissez sur des petits papiers pliés en quatre, vos bonnes idées qui m'habitent longtemps après mes visites… je dis un énorme merci !

Série Brad

Auteure : Johanne Mercier
Illustrateur : Christian Daigle

1. Le génie de la potiche
2. Le génie fait des vagues
3. Le génie perd la boule
4. Le génie fait la bamboula
5. L'affaire Poncho del Pancha
6. Du rififi chez les Pomerleau

www.legeniebrad.ca

Mes parents sont gentils mais...

1. Mes parents sont gentils mais... tellement menteurs !
   ANDRÉE-ANNE GRATTON
2. Mes parents sont gentils mais... tellement girouettes !
   ANDRÉE POULIN
3. Mes parents sont gentils mais... tellement maladroits !
   DIANE BERGERON
4. Mes parents sont gentils mais... tellement dépassés !
   DAVID LEMELIN
5. Mes parents sont gentils mais... tellement amoureux !
   HÉLÈNE VACHON
6. Mes parents sont gentils mais... tellement mauvais perdants
   FRANÇOIS GRAVEL
7. Mes parents sont gentils mais... tellement désobéissants !
   DANIELLE SIMARD
8. Mes parents sont gentils mais... tellement écolos !
   DIANE BERGERON
9. Mes parents sont gentils mais... tellement malchanceux !
   ALAIN M. BERGERON
10. Mes parents sont gentils mais... tellement bornés !
    JOSÉE PELLETIER
11. Mes parents sont gentils mais... tellement peureux !
    REYNALD CANTIN
12. Mes parents sont gentils mais... tellement paresseux !
    JOHANNE MERCIER
13. Mes parents sont gentils mais... tellement débranchés !
    HÉLÈNE VACHON

ILLUSTRATRICE : MAY ROUSSEAU

Le Trio rigolo

AUTEURS ET PERSONNAGES :

JOHANNE MERCIER – LAURENCE
REYNALD CANTIN – YO
HÉLÈNE VACHON – DAPHNÉ

ILLUSTRATRICE : MAY ROUSSEAU

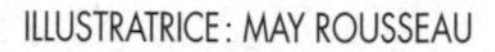

1. Mon premier baiser
2. Mon premier voyage
3. Ma première folie
4. Mon pire prof
5. Mon pire party
6. Ma pire gaffe
7. Mon plus grand exploit
8. Mon plus grand mensonge
9. Ma plus grande peur
10. Ma nuit d'enfer
11. Mon look d'enfer
12. Mon Noël d'enfer
13. Le rêve de ma vie
14. La honte de ma vie
15. La fin de ma vie
16. Mon coup de génie
17. Mon coup de foudre
18. Mon coup de soleil
19. Méchant défi !
20. Méchant lundi !
21. Méchant Maurice !
22. Au bout de mes forces (février 2012)
23. Au bout du monde (février 2012)
24. Au bout de la rue (février 2012)

www.triorigolo.ca

Marquis imprimeur inc.

Québec, Canada
2010

Imprimé sur du papier Silva Enviro 100% postconsommation traité sans chlore, accrédité Éco-Logo et fait à partir de biogaz.